feest!

feest!

traktaties & partijtjes
voor hippe kids
& hot mama's

Ghislaine
van Delden

TRUTH & DARE

EERLIJKE BOEKEN MET LEF

Truth & Dare is een imprint van Foreign Media Books bv,
onderdeel van Foreign Media Group

Ideeën, tekst en styling: Ghislaine van Delden
Fotografie: Mariël Kolmschot
Ontwerp omslag en binnenwerk:
Esther Bergman, www.creative-es.nl

ISBN 978 90 499 9869 1
NUR 450

www.truthanddare.nl
www.fmbuitgevers.nl

Inhoud

Uitdelen
Haute couture traktaties

Traktatiefrustratie? Alleen al omdat al die andere moeders met van die verbluffende haute couture uitdelers komen? Ach, die hebben vast niets beters te doen… Tijd voor zoete wraak! *Stunning* en makkelijk, maar dat laatste hoeft niemand te weten natuurlijk.

Iedereen klaar?
Vertrekken maar!

Langevingerpoppen
allemaal op reis

Aan de slag
Lekker en leuk, die langevingerpoppetjes. Koop bij de
Ikea, Hema of speelgoedwinkel vrolijke vingerpoppetjes.
Schuif vervolgens een poppetje om elke 'vinger'.
En dat was het alweer!

Uitdelen
Het geheim zit hem in de presentatie. Stop de langevinger-
poppetjes daarom in een lief koffertje alsof ze op reis gaan.
Succes verzekerd.

Klaarmaken...
... kan ruim van tevoren, zolang je de koekjes in een
trommel bewaart.

Tip!
In plaats van langevingers kun je bijvoorbeeld ook
soepstengels gebruiken. Geen suiker, dat is een voordeel,
maar ze zijn wel dunner, zodat de poppetjes minder
goed blijven zitten.

Dit heb je nodig:
- langevingers
- vingerpoppetjes

Eindelijk een nieuwe outfit!

Fashionista nijn

in het nieuw

Aan de slag
Makkelijker dan makkelijk, redelijk verantwoord én de kleintjes smullen ervan! Smeer royaal boter op het jasje van nijntje (wel binnen de lijntjes blijven!) en strooi er boven de gootsteen ruim Knispers overheen. Een beetje aandrukken zodat ze goed blijven zitten en de overtollige Knispers eraf schudden.

Uitdelen
Geef ieder kindje een eigen nijn op een klein bordje, met een servet tegen het kruimelen en knocien. Vinden de juffen fijn!

Klaarmaken...
... doe je de avond van tevoren, zodat de Knispers ook echt knisperig blijven. Bewaren in een afgesloten trommel.

Tip!
Natuurlijk kun je in plaats van Knispers ook hagelslag, vruchtenhagel of anijshagel gebruiken. Ook leuk met gekleurde muisjes als er een broertje of zusje geboren is.

Dit hcb je nodig:
• nijntje dreumesbiscuit
• Knispers (Albert Heijn, broodbeleg)
• boter

Shine, shine, shine

Rupsje Nooitgenoeg
leuk en gezond

Aan de slag

Hier komt een klein beetje knutselen aan te pas, maar zelfs als je twee linkerhanden hebt, gaat het lukken. Teken ter voorbereiding rupsengezichtjes op het gekleurde papier en knip ze uit. Vouw daarna een groen vel dubbel en knip daar dubbele blaadjes uit met het steeltje bij de vouw, zodat je die om het steeltje van de appel kunt lijmen. Poets de appels op tot ze blinken. Snijd een vierde van het spekje af en plak dat op de appel. Gewoon nat maken met je vinger en op de appel drukken. Maak ook de kopse kant van het spekje een beetje nat en plak daar zo het gezichtje op. Plak de rest van het spekje aan de achterkant van de appel. Vouw tot slot de blaadjes om de steeltjes van de appels en lijm ze vast.

Uitdelen

Doe de appels in een gezellige rieten mand om uit te delen. Alsof je kind zo uit de boomgaard is komen lopen.

Klaarmaken...

... kan maximaal twee dagen van tevoren. Doe de appels dan wel voorzichtig in een dichte plastic zak zodat de spekjes niet uitdrogen.

Tip!

Geef het boek *Rupsje Nooitgenoeg* van Eric Carle mee zodat de kinderen tijdens het snoepen voorgelezen kunnen worden.

Dit heb je nodig:
- kleine rode appeltjes met steel
- spekjes
- gekleurd papier
- potloden
- lijm

Fröbelen tijdens
Desperate Housewives

Vlindertjes
in de buik

Aan de slag

Pak de doosjes strak in alsof het kleine cadeautjes zijn.
Knip daarna de lange pijpenragertjes in tweeën. Draai ze
nu stuk voor stuk om iets ronds, een lipgloss bijvoorbeeld.
Zet halverwege het doosje twee 'rondjes' onder elkaar vast
met plakband. Vouw ze vervolgens iets uit zodat het een
vleugel wordt. Doe hetzelfde aan de andere kant. Vouw
voor de voelsprieten het laatste stukje doormidden, als een V,
en buig de puntjes iets rond. Ook vastzetten met plakband.
Tot slot de pompon over het plakbandje van de voelsprietjes
plakken.

Uitdelen

Bij bijvoorbeeld Xenos en Intratuin zijn regelmatig
'grasmatten' te koop. Zeker in het voorjaar. Leuk om de
vlindertjes daar op te leggen om uit te delen.

Klaarmaken...

... kan al wé-ken van tevoren. Dus lekker tijdens
Desperate Housewives een beetje fröbelen.

Tip!

De juf trakteer je op... een stapel kleurplaten van vlinders
(www.leukvoorkids.nl). Zo geef je haar wat tijd cadeau en
dat is ook heel leuk.

Dit heb je nodig:
- doosjes rozijntjes
- inpakpapier
- per traktatie
  2,5 pijpenrager
- pompons
- plakband
- lijm

(Stylish)
zeer verantwoord

Hoelahoela
shake it!

Aan de slag

Voor de rokjes knip je stroken crêpepapier van ongeveer
zeven centimeter. Knip ze vervolgens vijf centimeter in.
Door ze om de banaan heen een beetje te rimpelen en vast
te zetten met het gekleurde plakband krijg je Hawaïrokjes.
Plak vervolgens met het dubbelzijdige tape een Apenkop
vast. Tot slot het parapluutje als bescherming tegen de zon
en klaar ben je.

Uitdelen

Schep een vrolijk gekleurde wasteil vol met zand uit de
zandbak en steek daar de bananen in.

Klaarmaken…

… gaat een paar avonden van tevoren heel goed. In plaats
van de parapluutjes erin te steken, plak je ze vast met
plakband zodat je geen bruine gaatjes krijgt.

Tip!

Chiquita heeft tegenwoordig ook minibanaantjes.
Wel zo handig voor kleine kindjes.

Dit heb je nodig:
- bananen
- crêpepapier in
  verschillende kleuren
- gekleurd plakband
- parapluutjes
- Apenkoppen (Katja)
- dubbelzijdig tape

Met z'n allen!
Met z'n a-hal-len!

Feestvarkens

en partybiggen

Aan de slag

Pak de mandarijntjes stuk voor stuk in met het roze papier en plak ze dicht op de 'buik'. Aan de voorkant met dubbelzijdig tape een Biggetje plakken als gezichtje. Van achteren plak je een klein krulstaartje, gemaakt van een stukje van de pijpenrager of roze cadeaulint.

Uitdelen

Gezellig met zijn allen op een grote schaal of grasmat.

Klaarmaken...

... kan best een paar dagen van tevoren. Zelfs een week moet lukken. Bewaar ze dan wel onder aluminiumfolie, anders drogen de gezichtjes uit.

Tip!

Als extraatje zou je er nog pootjes van roze marshmallows onder kunnen plakken.

Dit heb je nodig:
- mandarijnen
- roze crêpepapier
- roze pijpenragers
- Biggetjes (Katja)
- dubbelzijdig tape
- plakband

Here comes trouble...

Bandietjes
hands up!

Aan de slag

Haal het plastic van het kaasje zodat het rode kaarsvetachtige
spul overblijft. Dan het lastigste: het masker. Rol een dropjojo uit en knip hem in drie gelijke stukken voor drie maskers.
Maak, met de lengte mee, op drie centimeter van beide
kanten een inkeping tussen de twee 'dropveters'. Niet
helemaal doorsnijden dus. Draai hem vervolgens in het
midden een slag rond en knoop hem vast om het kaasje.
Schuif de wiebeloogjes (te koop bij knutselwinkels,
maar ook bij de Hema bijvoorbeeld) precies tussen het
dropmasker zodat ze blijven zitten. Finishing touch
zijn de neus, mond en natuurlijk de stoppels die je tekent
met markeerstift.

Uitdelen

Boeven horen thuis in de gevangenis. Koop daarom
zwart-wit gestreepte stof of papier waar je de bandietjes
op legt, alsof ze inderdaad in de gevangenis zitten.

Klaarmaken…

… kan in principe zo lang van tevoren als de kaas houdbaar is.
Bewaar ze in een afgesloten trommel in de koelkast.

Tip!

Laat de juf of meester altijd even weten wat er eventueel
niet eetbaar is aan de traktatie. In dit geval de oogjes
en het rode 'kaarsvet'.

Dit heb je nodig:
- Babybel kaasjes
- dropjojo's
- wiebeloogjes
- zwarte markeerstift

Stoer dichtbinden
met een stuk touw

Knapzakjes
voor onderweg

Aan de slag
Lang leve de eenvoud! Vouw de servetjes open en verdeel er wat spekjes op. Dichtbinden met een stuk touw en aan een satéprikkertje vastmaken. Het moeilijkste is nog om de oasis of piepschuim een beetje netjes in de beker te krijgen. Wel noodzakelijk, anders kieperen de knapzakjes er zo uit.

Uitdelen
Ergens inprikken is dus het handigst. Een omgekeerde kool met zilverpapier eromheen zou kunnen, maar is *so yesterday*. Niet echt geschikt om indruk op de andere moeders te maken dus.

Klaarmaken...
... is afhankelijk van de inhoud van de zakjes. Desnoods doe je de spekjes eerst in een boterhamzakje om eerder te kunnen beginnen.

Tip!
In principe kun je van alles in de knapzakjes stoppen. Het fijne aan spekjes en ander zacht spul is dat het mooi rondstaat in de knapzakjes.

Dit heb je nodig:
- kleine servetjes of lapjes stof
- rood/wit keukentouw
- spekjes
- satéprikkers
- bekertje of iets dergelijks
- oasis of piepschuim
- eventueel kaartjes

Met ouderwetse
duimdrop

Pinguïns
on the rocks

Aan de slag

Duimdrop is echt iets van vroeger. Jammer, want het is
leuk spul. Het is eigenlijk kneedbare drop (te koop bij
bijvoorbeeld Jamin en op de markt). Het wordt verkocht in
plastic en zit als repen aan elkaar vast. Scheur of snijd een
strookje af en draai daar een balletje van. Steek dat aan de
satéprikker als hoofdje. Daaronder komt een lange strook
duimdrop die de vleugels moet voorstellen en daarna een
choco coco mallow voor het lijfje met de chocolade als rug.
Maak nu een gezichtje en voetjes van de gepofte rijstsnoepjes.
Laat een centimeter of drie van de prikker vrij om ergens
in te kunnen steken en knip de rest van de prikker boven
het hoofd af.

Uitdelen

Superleuk: steek de pinguïns in piepschuimen blokken
alsof ze op ijsschotsen zitten.

Klaarmaken…

… kan best een dag of twee van tevoren. Wel goed
afdekken met folie zodat er niets uitdroogt.

Tip!

In plaats van de choco coco mallow kun je ook twee
witte marshmallows gebruiken voor het lijfje en een
doormidden geknipte marshmallow voor het hoofd.

Dit heb je nodig:
- choco coco mallows
- duimdrop
- gekleurde gepofte
  rijstsnoepjes
- satéprikkers

Op een onbewoond
ei-hei-land!

Eierkoekland
bijna verantwoord

Aan de slag
Zo schattig en zo simpel! Leg de eierkoeken naast elkaar
neer en knip badhanddoekjes van de zure matjes. Een
kikkertje of ander beestje erop als strandgast en een
parasolletje erboven. Laat de zon maar komen!

Uitdelen
Leg de eierkoekeilandjes op kleine blauwe bordjes alsof
het echt eilandjes in de zee zijn. Probeer matchende
handdoekjes en parasolletjes te scoren.

Klaarmaken…
… doe je liefst de avond of ochtend van tevoren. Het is zo
gepiept, echt een kwestie van neerleggen. Bewaren kan
onder vershoudfolie.

Tip!
Vaak moet je bij traktaties snoep aan elkaar lijmen.
Maak daarvoor 'snoeplijm' door poedersuiker met een
klein beetje water te mengen. Heb je echt stevige lijm nodig,
gebruik dan bakkersglazuur, bijvoorbeeld van Baukje.

Dit heb je nodig:
- kleine eierkoeken
- zure matjes
- parasolletjes
- kikkertjes

Leuk
bloempotkapsel...

Indiaantjes
voor stoere kids

Aan de slag

Breek de reep in stukjes en laat ze in een schaal, in de
magnetron rustig smelten. Steeds tussendoor eruit halen
en roeren. De laatste stukjes smelten vanzelf in het hete
mengsel. Doe het rustig aan, anders brandt de chocolade
aan. Doop de roze koeken nu deels in de chocolade. Draai
een kwartslag en doop nog een keer. Laten drogen op aluminiumfolie. Teken nu met een satéprikker een mondje van
de warme chocolade. Lijm de Smarties als oogjes vast met
de chocolade en prik tot slot een veer in het haar. Finishing
touch: met kleurstof (of waterverf – niemand vertellen)
en een kwast teken je stoere strepen op de wang van het
indiaantje.

Uitdelen

Houd het natuurlijk door alle indiaantjes op een houten
schaal of rieten placemat te leggen.

Klaarmaken…

… de avond van tevoren en in een koektrommel bewaren.
Het is best bewerkelijk, maar wel eenvoudiger dan het
eruitziet. En, je zoon of dochter vindt je daarna voor altijd
(ahum) geweldig!

Dit heb je nodig:
- roze koeken
- chocolade
- Smarties
- veertjes
- kleurstof/waterverf

Tip!

Gebruik maar een of twee kleuren voor de oogjes en veren
van de indianen, dat ziet er mooier uit dan een bonte mix.

Lekker girly

Blingbling
lekker nekding

Aan de slag
Knip de snoepketting stuk en maak een nieuwe door alle snoepjes aan het doorzichtige vissersdraad te rijgen. Als het wat stroef gaat, maak je de naald en het draad nat, dat glijdt makkelijker. Doe het mooiste snoepje als 'juweel' in het midden.

Uitdelen
Koop van die voileachtige zakjes waar je de kettingen als echte blingbling in kunt doen. Stop die allemaal samen in een chique papieren giftbag. Indrukwekkend!

Klaarmaken...
... doe je al lang van tevoren. Bewaar de kettingen wel in een afgesloten blik zodat de snoepjes niet uitdrogen.

Tip!
Ook leuk om er als pronkstuk een sleutelhanger of mobiel-hangertje aan te hangen. Hebben ze ook nog iets om te bewaren.

Dit heb je nodig:
- tumtum
- snoepkettingen
- lievige snoepjes
- vissersdraad
- grote naald

Met leuks
of lekkers

Luchtballon
laat maar waaien

Aan de slag

Blaas de ballonnen niet al te groot op en plak vervolgens
drie rietjes aan de binnenkant van de bekers. Druk per
traktatie een ballon tussen de rietjes, desnoods door de
rietjes iets te buigen, en plak de ballon vast aan de rietjes.
Tot slot vul je het bakje.

Uitdelen

Het leukste is natuurlijk om de luchtballonnen in de klas
op te hangen. Vraag de juf of de meester daarom of je de
dag ervoor even mag komen om dat te doen. Doe de
knoop van de ballon dan boven zodat je ze daaraan kunt
vastmaken.

Klaarmaken...

... maximaal twee dagen van tevoren. Het staat zo lullig
als de ballonnen verschrompeld zijn.

Tip!

Er zijn zoveel (zoete) traktaties, terwijl kinderen het ook
leuk vinden om een klein cadeautje te krijgen. Dat kan
op een originele manier met de luchtballonbakjes.
Kijk eens op www.hippejip.nl voor superleuke traktatie-
spulletjes, zoals deze vogelfluitjes.

Dit heb je nodig:
- bekertjes
- rietjes
- ballonnen
- plakband
- uitdeelcadeautjes

Goedmakertjes

Milk & Cookies
naar Amerikaans voorbeeld

Aan de slag

Snijd plakken van de ontbijtkoek en druk daar met een
stekertje vormpjes uit. Maak het glazuur volgens de
beschrijving klaar en strijk dit met een natte lepel of
mes op de vormpjes. Vlak voor het echt droog is strooi
je er glitters over en druk je er de suikerdecoraties in.
Laat het glazuur even opstijven in de koelkast.

Uitdelen

Misschien ben je dan wel geen moeder die na school klaar
zit met thee of melk en koekjes, maar niets let je om dat nu
wel te doen. Heel toepasselijk op een hartjesbordje met
matchende beker.

Klaarmaken…

… zo kort mogelijk van tevoren. Ontbijtkoek droogt vrij
snel uit. De avond van tevoren lukt best, mits bewaard
in een koektrommel.

Tip!

Je kunt voor jongens natuurlijk ook stoere vormpjes
gebruiken en die met blauw glazuur besmeren. Ook leuk
als je geen vormpjes hebt: rondjes met een glas uitsteken
en met groen glazuur en van die decoratiepaddenstoeltjes
versieren.

Dit heb je nodig:

- ontbijtkoek
- prinsessenglazuur
- glitter
- eetbare decoraties
- uitsteekvormpjes

Spiderman,
beat this!

Spinmuffin
lekker griezelen

Aan de slag

Uiteraard kun je de muffins zelf bakken, maar als je daar
geen zin in of tijd voor hebt, kun je ze ook makkelijk
kant-en-klaar kopen. Zorg er in elk geval voor dat ze niet
te royaal zijn en dat de bovenkant mooi egaal is. Maak
het glazuur volgens de verpakking klaar en meng er de rode
kleurstof (te koop bij goede kookwinkels en bijvoorbeeld
via www.maakjetaart.nl) door totdat je echt knalrood hebt.
Breng met een natte lepel een laag aan op de cakejes.
Als het glazuur nog net niet hard is, zet je de spin erop.

Uitdelen

Zet de muffins in rode bakjes en zet deze op een zwart
dienblad of bord. Zoveel spinnen bij elkaar…
Spiderman, beat this!

Klaarmaken…

… kan de avond van tevoren als je de cakejes kant-en-klaar
koopt. Nog een dag eerder als je zelf gaat bakken. Cake
van een dag oud is beter te bewerken en je hoeft na het
bakken niet te wachten met decoreren tot ze afgekoeld zijn.
Bewaren in een trommel of blik.

Tip!

De nepspinnetjes koop je bij de feestwinkel en kun je
natuurlijk vervangen door allerlei engs. Ook leuk: zwarte
glazuur (kleurstof) met doodskopjes.

Dit heb je nodig:

- chocolademuffins
- gebaksglazuur (Baukje)
- rode kleurstof
- rode muffinbakjes
- nepspinnen

Niet voor
in de tuin

Bloemetjes

zo zoet!

Aan de slag

Zet de cakejes in passende bloempotjes. Knip van het
kokosbrood bloemetjes (of druk uit met een bakvormpje)
en gebruik de plakkracht (suiker) van de lolly om de bloem
mee vast te plakken (lolly nat maken met water en een beetje
wrijven tot het plakkerig is). Snijd de zure bom door en steek
beide helften als twee blaadjes in de 'aarde'. Tot slot de
bloemlolly's erbij en klaar is je superzoete traktatie.

Uitdelen

Verschillend gekleurde potjes doen het goed. Koop van die
kleine terracotta potjes bij een tuincentrum en verf die met
acrylverf in verschillende kleuren. Een mooi klusje voor
je kind!

Klaarmaken…

… het is best een klus, maar zó de moeite waard. De bloemlolly's kun je al eerder maken en bewaren in een bakje.
De rest doe je de avond van tevoren. Goed inpakken met
aluminiumfolie zodat de muffins lekker blijven.

Tip!

Versier de potjes nog eens extra met glimmende
plaksteentjes.

Dit heb je nodig:
- kleine bloempotjes
- kant-en-klare chocolade
  muffins
- platte lolly's
- groene zure bommen
- kokosbrood

Even langs
de snackbar

Patatje speciaal
met mayo en ketchup

Aan de slag

Op een gegeven moment is trakteren niet zo stoer meer.
Tenzij je natuurlijk met een coole traktatie komt! Een patatje
speciaal bijvoorbeeld. Snijd de cake in reepjes ter grootte
van frietjes. Klop de slagroom met de slagroomversteviger.
Doe een dot van deze 'mayonaise' in het sausbakje. Als
ketchup gebruik je rode jam.

Uitdelen

Koop bij de lokale frietboer bakjes en vorkjes. Doe daar
de frites en sausjes in. Eet smakelijk.

Klaarmaken…

… een dag of drie van tevoren gaat prima, zolang je de
frietjes in plastic bewaart. 's Morgens de sausjes in de
bakjes doen.

Tip!

Geef een spuitbus slagroom mee, zodat je kind ter plekke
saus in de bakjes kan spuiten.

Dit heb je nodig:
- hotelcake
- slagroom
- klop klop (slagroom-versteviger)
- aardbeienjam
- frietbakjes met vakje
- plastic vorkjes

Het liefst het
hele jaar door

Zomerkoninkjes
zoet en goed

Aan de slag
Easy does it. Deze traktatie verkoopt zichzelf.
Prik aan elke spies telkens een mega tumtum, aardbei,
tumtum, framboos en weer een aardbei.

Uitdelen
Mooi op een bijzondere schaal opgestapeld alsof het
barbecuespiesjes zijn. Maak ze extra girly door rond
elke spies een suikerzoet lint te strikken.

Klaarmaken…
… bij voorkeur de avond van tevoren en dan in de koelkast
bewaren. Heerlijk in de zomer als het fruit zoet en goed is.

Tip!
Satéprikkers willen soms splijten. Niet echt fijn voor de
traktatie. Leg de prikkers een uurtje in koud water en
je hebt nergens last van! Wel even droogdeppen voor je
gaat prikken.

Dit heb je nodig:
- grote tumtums
- aardbeien
- frambozen
- satéprikkers

Alleen geschikt voor
jeugdige drinkers

Biertje?
voor 16 jaar en jonger

Aan de slag
Dat is makkelijk: knip geel papier op maat tot twee vingers
onder de rand van het glas. Vul het glas daarna met popcorn.
Net echt.

Uitdelen
Natuurlijk zet je de biertjes op een echt bruin kroegen-
dienblad of, ook leuk, in een 'meter bier'. Misschien kun
je er wel een lenen bij de sportclub of stamkroeg, als je
die hebt? Anders kun je ook nog in de weer met een kratje.

Klaarmaken...
... maximaal een dag van tevoren en dan goed verpakken
zodat de popcorn niet taai wordt. Als je de biertjes per
stuk strak in huishoudfolie verpakt kun je het iets eerder
maken.

Dit heb je nodig:
- plastic bierglazen
- popcorn
- geel papier

Tip!
Zoek op internet naar een lettertype dat overeenkomt met
dat van Heineken bijvoorbeeld. Dan kun je nog iets doen
met een logo en de naam van je kind. Maar aan de andere
kant is dat misschien wel wat veel gevraagd als je een
makkelijke traktatie wil.

Onder moeders
paraplu!

Een plu vol...

... met lekkers!

Aan de slag

Typisch geval van kleine moeite, groots effect. Pak de
zakjes chips in met vrolijk papier. Bind er een lint aan
en maak dat vast aan de baleinen van de paraplu. Hang
de zakjes op verschillende hoogtes voor een speels effect.
Hang er eventueel nog wat zijden bloemen tussen voor een
nog vrolijker verrassing.

Uitdelen

Dat is duidelijk. Aan een mooie paraplu. Heb je geen
mooie paraplu, gebruik dan juist een heel saai effen
exemplaar. Door er veel bloemen en bijvoorbeeld ballonnen
in te hangen krijg je alsnog een vrolijk effect.

Klaarmaken...

... wanneer je maar wilt. Niets is bederfelijk, dus je kunt
het doen wanneer je even tijd en zin hebt.

Tip!

Ook geschikt voor kleine kindjes als je bijvoorbeeld
ballonnen, doosjes rozijnen, Smarties en kleinigheidjes
gebruikt als traktatie. Je hoeft ze niet eens in te pakken.
Leuk met een lieveheersbeestjesplu.

Dit heb je nodig:
- leuke paraplu
- zakjes chips
- inpakpapier
- plakband
- cadeaulint
- eventueel bloemen
  ter versiering

Smullen
Niet zo maar taart

Moeder de vrouw moet terug naar het aanrecht! Niet voor piepers,
gehaktballen en bloemkool met een sausje, maar voor cupcakes,
barbietaarten en ander goddelijks. Klinkt zó ingewikkeld en dat is
het ook wel een beetje, maar denk eens aan al die lovende
woorden en jaloerse blikken… *Eat your heart out darlings!*

Dit heb je nodig:

- 170 g ontvliesde amandelen
- 100 g bitterkoekjes
- 125 g boter
- 150 g suiker
- 4 eieren
- 185 g pure chocolade
- bakje mascarpone
- 2 zakjes vanillesuiker
- ronde taartvorm
  23-26 cm doorsnede
- vloeibare boter om
  in te vetten
- meel
- versiersels

Een beetje vreemde ingrediënten,
maar zó lekker!

Chocoladedroom
met stippen

Aan de slag

Een beetje een rare combinatie van ingrediënten en toch
is het een supersimpele taart. Maak de amandelen en
bitterkoekjes klein, beetje grof hakken (amandelen)
en scheuren (bitterkoekjes). Meng daarna de boter (zacht
gemaakt in de magnetron, niet laten koken!) met de suiker,
eieren en gesmolten chocolade (ook in de magnetron, laat de
chocolade rustig aan smelten door steeds tussendoor even te
roeren, de laatste stukjes smelten in het hete mengsel).
Voeg de amandelen en bitterkoekjes toe. Dit wordt vreemd
genoeg een heel vloeibaar mengsel. Giet het in een ingevette
springvorm (handig: na het ruim invetten van de taartvorm,
strooi je er meel over zodat de taart straks supermakkelijk los-
laat) en zet hem in een voorverwarmde oven van 180 graden.
Bak de taart in 30-40 minuten gaar. Wat is gaar? Wanneer je
een satéprikker in de taart steekt en deze er 'droog' uitkomt.

Makkelijk mooi!

Deze goddelijke, maar saaie taart heeft wat serieus versier-
werk nodig om er feestelijk uit te zien. Meng het bekertje
mascarpone met twee zakjes vanillesuiker en smeer dat grof
op de bovenkant van de taart. Versiersels eroverheen strooien
en natuurlijk verjaardagskaarsjes in vrolijke kleuren.

Waar koop je…

… ontvliesde amandelen? Bij de notenbar.

Supermakkelijk met verbluffend resultaat

Dit heb je nodig:
- 50 soesjes
- 200 g pure chocolade
- Playmobilpiraten
- schatkistjes
- grote schaal
  (doorsnede 20 cm)

Schateiland
voor boeven en piraten

Aan de slag

Leg de schaal omgekeerd op een bord en maak daar een
ring van in gesmolten chocolade gedoopte soesjes omheen.
Smelt de chocolade eenvoudig in de magnetron door hem
in stukken te breken, in een schaal te doen en voorzichtig
steeds iets langer te verwarmen en telkens door te roeren.
Bouw de toren zo steeds verder op naar boven en zet er zo
nu en dan een schatkist of piraat tussen. Maak de toren zo
hoog en uitgebreid als je wilt. De kleine bootjes eromheen
vind je terug op pagina 72.

Makkelijk mooi!

Heb je geen Playmobilpiraten? Je kunt losse mannetjes
kopen bij bijna alle speelgoedwinkels. Een andere setting
kan natuurlijk ook. Indianeneiland, een Hawaï-eiland of
een sneeuwberg met witte chocolade bijvoorbeeld.

Waar koop je...

... piratenaccessoires? Op internet vind je bekers,
bordjes en nog veel meer van Playmobilpiraten op
www.saskiaskinderhoekje.nl!

Dit heb je nodig:

- barbietaartvorm of tulband met Barbie
- cakemeel voor drie cakes
- abrikozenjam
- 500 g marsepein
- poedersuiker of maïzena
- deegroller
- kleurstoffen

botercrème:

- pakje banketbakkersroom Dr. Oetker
- 250 g gezouten roomboter
- 50 g poedersuiker
- 2 zakjes vanillesuiker

Maak de banketbakkersroom klaar volgens de aanwijzingen op de verpakking, roer daar de gesmolten boter door (in magnetron, niet laten koken) met poedersuiker en vanillesuiker.

Moeilijk, maar helemaal de moeite waard

Olé!
voor Spaanse danseresjes

Aan de slag

Maak het beslag volgens de aanwijzingen op de verpakking.
Giet het in de ingevette en met meel bestrooide bakvorm.
Bakken volgens de beschrijving. Check met een satéprikker
of de cake gaar is. Anders steeds vijf minuten langer bakken.
Stort de taart als hij lauw aanvoelt. Snijd wel eerst de bovenkant recht af zodat de 'rok' mooi recht staat. Omdat een cake
van een dag ouder beter te bewerken is dan een verse, wacht
je een dag. Snijd de taart in drie lagen en besmeer die met
abrikozenjam en botercrème. Puzzel de taart weer op elkaar
en smeer de rok in. Strooi daarna een laag poedersuiker op
een groot glad werkblad en rol daar de marsepein op uit. Let
op dat de marsepein niet aan je werkblad plakt, zo wel: meer
poedersuiker gebruiken. Als de lap groot genoeg is om over de
taart te leggen, til je hem voorzichtig op (met armen, deegroller
en eventueel hulp van iemand anders) en rol je hem af over de
cake. Handig om dit eerst met het bakblik te oefenen. Als het
gelukt is, kan het makkelijkere werk beginnen: versieren!

Makkelijk mooi!

Gebruik kant-en-klare bloemen, zilveren balletjes enzovoort
om de taart mee af te maken. Met marsepein maak je een topje,
of gebruik een kledingstuk van Barbie.

Waar koop je...

... een barbietaartvorm, marsepein en kleurstof?
Op internet bij bijvoorbeeld www.maakjetaart.nl.

Vieren

Draaiboeken voor superfeestjes

En dan is er nog het partijtje... Met de kids de deur uit is té makkelijk. Een superfeestje thuis getuigt van veel meer lef (en creativiteit).
Als je het goed aanpakt wordt er nog jaren over nagemijmerd.
Met deze draaiboeken heb je een supertrotse jarige en blije
vriendjes én geen stress *in the house!*

Kraamfeest

voor de allerkleinsten

Uitnodiging Klare taal

Heerlijk die kraamtijd, maar al die visite! Daarom geven steeds meer mensen een kraamfeest. Niet wekenlang aanloop en ook alle rommel is in één keer gemaakt en opgeruimd. Wel zo makkelijk als je toch nog moet wennen aan het nieuwe leven. Het handigste is de gasten uit te nodigen via het geboortekaartje. Zo is meteen duidelijk dat jullie niet op dagelijkse kraamvisite zitten te wachten en weet iedereen wanneer ze de nieuwe wereldburger kunnen komen bewonderen.

Cadeaus uitpakken
Wees voorbereid

De meeste mensen komen tegelijk aan op een kraamfeest. Dat betekent ook dat alle cadeaus tegelijk komen. Soms heb je niet de tijd om alles uit te pakken. Zorg er daarom voor dat er een mooi versierde tafel staat waar je alles op kunt uitstallen. Leg daar ook post-its of stickers met pennen, zodat je er eventueel briefjes van de gevers op kunt plakken. Weet je achteraf in elk geval wie je waarvoor moet bedanken.

Om te voorkomen dat je dingen dubbel krijgt, is het steeds vaker mogelijk om een geboortelijst bij een babyspeciaalzaak te leggen. Meld dat wel even op het geboortekaartje!

Taart Om op te vreten

Die kleine is natuurlijk om op te vreten. Maak dat duidelijk door zijn of haar mooiste foto op een taart te laten drukken. Zo vanuit huis besteld, maar dat hoeft niemand te weten. Even internet op naar www.hema.nl en onder het kopje 'gebak' je eigen taart ontwerpen. *Easy does it!*
Ook easy: een spectaculaire blauwe of roze soesjestoren. Dat zou je niet zeggen hè, maar in feite is het een kwestie van dopen in witte chocoladepasta die je met een drupje kleurstof roze of blauw kleurt, wat muisjes erover sprenkelen en aanvallen.

Traktatie
Lekkere muizen

Geen kraamfeest zonder beschuit met muisjes. Maar dat hoeven niet meteen van die hele grote te zijn. Je kunt ook ronde toastjes nemen. Staat nog lief ook. Of, niet zo origineel, wel lekker, lange vingers in witte chocoladepasta dopen en daarna door de muisjes halen.

Slim!
Vier het kraamfeest ongeveer zes weken na de geboorte

Traktatie
Andere muisjes

Voor de kleintjes (en tegen de enorme kruimeltroep) maak je een andere traktatie waarbij de traditionele beschuit met muisjes alleen een bijrol speelt. Dit heb je nodig: 1 beschuit met muisjes, heleboel witte snoepmuizen. Leg een beschuit met muisjes in het midden van een bord. Leg de snoepmuizen eromheen alsof ze allemaal naar het beschuitje willen. Dat is nog eens beschuit met muizen!

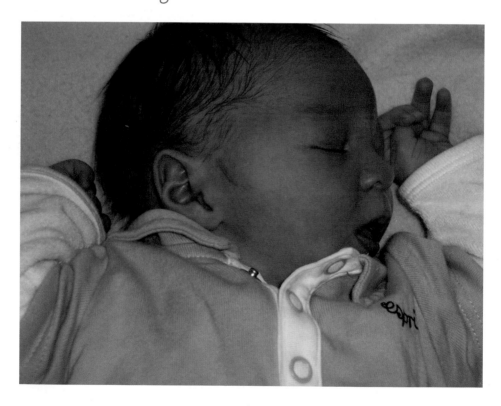

Versiertruc
Groot kleintje

Je bent natuurlijk apetrots op jullie kleine wonder. Om dat aan al je gasten te laten zien, laat je blow-ups van foto's maken en hang je die overal op. Meteen leuke versiering. Over versiering gesproken... Slingers heb je niet nodig als je lange waslijnen dwars door de kamer spant. Allemaal kleine kleertjes eraan en je hebt een feestelijke slinger.

Ook leuk, een waslijn met alle kaarten eraan die jullie voor de geboorte hebben gekregen. Trossen ballonnen maken de sfeer af. Maar dan wel in blauw-wit of roze-wit en mét krinkels die er vrolijk tussendoor hangen. Krinkels? Jawel, cadeaulintjes in bijpassende kleur!

Doen Sweet memories

Bij een bruiloft leg je een receptieboek neer, dus waarom niet bij een kraamfeest? Koop een mooi boek waar je later ook de foto's van het kraamfeest in kunt plakken. Leg het op een opvallende plek neer met een briefje ernaast waarop je je gasten vraagt een wens of iets liefs voor jullie baby op te schrijven. Lijst het briefje mooi in, een pen erbij en hopen dat iedereen iets opschrijft.

Tip: zet het geboortekaartje er ook bij voor mensen die nog even precies willen weten wat alle namen (!) zijn en wanneer de baby exact geboren is.

Doen Hulptroepen

Op een kraamfeest komen meestal meteen héél véél kinderen... Als je die een beetje rustig wilt houden, huur je professionele hulptroepen in. Bijvoorbeeld een clown die ballonnen in de meest aparte vormen blaast en kneedt. Of een poppenkasttheater. Dat houdt ze wel even zoet! Ook handig om het feest op een kindvriendelijke locatie te houden. Veel steden en dorpen hebben grote speeltuinen waar een kantine bij is. Soms kun je die op bepaalde tijden afhuren.

Doen Borrelen...

... kan natuurlijk ook! Lekker zonder kinderen. En dan mag er best een echt drankje geschonken worden. Wat denk je bijvoorbeeld van een babyblauwe cocktail van ¼ deel Blue Curaçao, ¾ deel sap (naar keuze) en ijsblokjes? Of een babyroze variant van een scheutje frambozensiroop, een dopje Malibu en kokosmelk?

Bedankje
Neem mee!

Onze zuiderburen hebben de goede gewoonte om hun gasten een presentje mee te geven nadat ze op kraamvisite zijn geweest. Heel attent, dus doen wij dat van nu af aan ook. Een zakje met doopsuikers is traditioneel, maar aangezien wij op dit gebied niet echt tradities hebben, kan je het zelf invullen. Wat denk je bijvoorbeeld van een chocoladereepwikkel? Die maak je heel makkelijk zelf op www.party-kids.nl. Kost je niets, alleen de chocolade moet je zelf kopen. Geen mooie kleurenprinter thuis, of gewoon geen zin? De repen op de foto zijn besteld: www.kidsoftheworld.nl. Kant-en-klaar, lekker makkelijk en thuis-bezorgd!

Hot mama

Lijkt een kraamfeest je te gek, maar zit je niet op al dat gedoe van zelf organiseren, fröbelen en inkopen te wachten? Hot mama's Tjarda Stip en Mirjam Bestebreurtje nemen het je graag uit handen. Lekker hip; zelfs hun luiertaarten in de webshop zijn leuk en dat is best knap! www.jouwkraamfeest.nl

1 jaar!
de eerste mijlpaal

Uitnodiging
De eerste keer

De eerste verjaardag mag natuurlijk niet onopgemerkt voorbijgaan. Tijd voor
het eerste verjaardagsfeestje dus. Nodig niet al te veel mensen uit of doe het in
twee shifts. Misschien is het anders iets te veel van het goede voor die kleine.
Maak in elk geval wel leuke uitnodigingen. Bijvoorbeeld een foto van je kind
met ballonnen en feestmuts op. Vermeld op het kaartje ook altijd even de tijd
van het taartaansnijmoment. Anders sta je nog op opa of oma te wachten terwijl
iedereen zin heeft in die prachtige taart.

Cadeaus uitpakken
Aandacht!

Als je kind één wordt, maakt de inhoud
van een cadeautje vaak minder indruk
dan het papier. Lekker scheuren en kra-
ken. Maakt niks uit. Om de inhoud zo
aantrekkelijk mogelijk te krijgen, maak
je een verlanglijstje (op www.lijstje.nl)
namens je kind: blokken en bouwele-
menten met grote noppen, houten puz-
zels, interactieve telefoons en auto's,
badspeeltjes, zandbak(speelgoed) en
loopwagentjes. Kinderen vinden het
vaak lekker om bij hun papa of mama
op schoot of in hun veilige kinderstoel
te zitten bij het uitpakken. Er gebeurt
al zoveel om hen heen!

Taart Lekker kliederen

Eindelijk kun je uitpakken met
een geweldige taart, maar... de
meeste kinderen lusten helemaal geen taart. Zit je klaar met
je camera in de aanslag; geen
handen in de slagroom of gezicht
vol met taart... Jammer! Veel
handiger daarom om voor de
volwassenen een mooie taart te
doen en je kind een minitaartje te
geven met één lief kaarsje erin.
Muffins en cake vallen vaak veel
beter in de smaak.

Traktatie Ieder voor zich

Voor kleine kinderen is een verjaardag meestal vooral een vreetfestijn. Moe en misselijk gaan ze weer naar huis. En bedankt… Om dat een beetje te voorkomen, geef je ieder kind zijn of haar eigen schaaltje of bekertje (met naam) gevuld met lekkers. Zo is het in elk geval een beetje afgepast. De meeste kids zijn gek op chipjes (dat vult het bekertje ook lekker) en snoepjes. Die laatste kun je in portie-verpakkingen kopen. Heel handig!

Versiertruc
Wat een indrukken!

Je kind weet niet wat hem of haar overkomt als hij de kamer in komt en de vrolijke versiering ziet. Jij lacht stralend en je kind? Brullen! Die indrukken samen met de spanning van de komende verjaardag zijn vaak te veel van het goede. Handig daarom om de kamer een paar dagen eerder te versieren en bij voorkeur onder toeziend oog van de kleine. Zo ziet hij of zij wat er met de vertrouwde omgeving gebeurt.

Versiertruc
Superstoel

Maak van de kinderstoel een echte verjaardagstroon. Ballonnen, slingers en een groot cijfer 1 van versierd karton.

Versiertruc
Wat ben je gegroeid

Een speciale slinger voor een
bijzonder jaar. Laat een stuk of
twintig foto's afdrukken van mooie
momenten in het eerste jaar van je
kind. Perforeer die aan de bovenkant met twee gaatjes en haal daar
een (cadeau)lint van 5 meter door.
Superleuke en originele slinger.
Datzelfde kun je met het geboortekaartje doen als je er destijds in
je enthousiasme te veel hebt laten
drukken. Neem dan alleen de kant
met de naam erop. Die kun je nog
jaren gebruiken!

Doen
Niets speciaals

Omdat kleine kinderen het liefst
lekker op zichzelf spelen, hoef je voor
die eerste verjaardag eigenlijk nog
niets bijzonders te regelen. Dat komt
wel als ze vanaf hun vijfde partijtjes
gaan geven. Vanaf dat moment gaan ze
vriendschappen aan en willen ze hun
vriendjes en vriendinnetjes erbij hebben.
Voor die tijd houd je het 'rustig' door
een fijne speelhoek op een groot kleed
te maken. Daar kunnen alle kids lekker
hun gang gaan.

Doen
Themafeestje

Om er iets bijzonders van te maken, vier je de verjaardag in een bepaald thema. Passend bij de allerkleinsten de Teletubbies. Maar als je zelf serieus genomen wilt worden, kies je voor een vlinderfeest, olifantenfeest of koop je alles in een bepaalde kleur of dessin. Wil je toch iets héél kindvriendelijks: Pluk van de Petteflet heeft leuk verjaardagsspul, te koop via onder andere www.doosvolplezier.nl. Daar koop je in één keer een heel pakket waar van alles inzit: bekertjes, borden, servetten, slingers, roltongen. Echt van alles!

Doen
Schminken

Wil je toch iets doen omdat er ook al wat grotere kinderen komen? Huur dan iemand in die twee uurtjes komt schminken. Dat vinden bijna alle kinderen in alle leeftijdscategorieën hartstikke leuk. Lekker kijken, bedenken wat je zelf wilt en showen maar. Ook leuk voor de foto's!

Hot mama

Bij de eerste verjaardag hoort natuurlijk ook een vrolijke traktatie op de crèche! Voor het eerst aan de slag met lekkers, papier, schaar en lijm. Dat valt tegen! Die zogenaamde leuke muis blijft een zielig knaagdiertje... No worries! Bellenblaas maakt een hoop goed. Leuk zelfgemaakt etiket erop (rolt zo uit je computer) en klaar! Op www.vera-plaza.nl láát je het doen.

Bedankje
In a bag

Uitdeelzakjes zijn helemaal hot. Met een saai boterhamzakje met strik ben je er tegenwoordig niet meer. Gelukkig kun je bij elke feestwinkel, Hema en op internet allemaal leuke (en minder leuke) uitdeelzakjes kopen. Doe er een gek klein speeltje in zoals een badeendje en een handje snoepjes geschikt voor kleine kinderen en je hebt blije gastjes en dus blije ouders.

Piratenpartijtje
voor stoere jongens

Uitnodiging Schatkaart

Om meteen de toon te zetten, maak je natuurlijk een schatkaart als uitnodiging.
Een beetje nostalgisch met 'verbrande' randen.
Week vellen papier in sterke thee voor een verweerd effect en laat ze drogen.
Vervolgens schrijf je de tekst met een krullerige letter. Meld dat het om een
piratenfeestje gaat en vertel dat ze vooral niet verkleed moeten komen (dat
ga je namelijk op het feestje doen). Vervolgens rol je alle uitnodigingen op
en steek je de uiteinden aan met een aansteker. Snel weer uitblazen natuurlijk.
Rol de schatkaart ook de andere kant op voor de laatste twee uiteinden.
Eventueel losse as blaas je er zo af of veeg je uit; dat maakt het alleen maar
echter. Rol de uitnodigingen tot slot op en bind er een lint of touw omheen.

Cadeaus uitpakken
Schat verdelen

Betrek alle piraatjes bij het uitpakken van de cadeautjes. Zet ze in een
kring en vertel een verhaal over echte
piraten. Leg uit dat piraten hun schatten
verdeelden door een pistool of zwaard
rond te draaien in een kring. Degene
naar wie de punt wees, was aan de
beurt. Nu doe je het iets anders en is
de jarige job de kapitein. Laat hem een
stevige draai aan een nepzwaard geven.
De punt wijst het piraatje aan dat zijn
of haar cadeau mag geven.

Taart Kanonskogels

Piraten hebben munitie nodig.
In dit geval om op te eten! Zet
chocoladesoezen op bordjes
en maak er met een prikker
een gaatje in. Knip dropveters
in kleine stukjes en steek die
in de bol. Zo heb je een lontje
aan de kanonskogel!

Traktatie Piratenschip

Maak eerst de piratenzeiltjes door rechthoekig papier links en rechts schuin af te knippen. Plak er vervolgens een sticker op. Spies het zeil aan de satéprikker (mast) en zorg dat het zeil een beetje bol staat. Zet vervolgens een schatkistje midden op een kanokoek en prik daar de satéprikker door.

Slim! Houd rekening met verschil tussen jongens en meisjes, leeftijd en interesses

Versiertruc
Allemaal Piet Piraat

Een piratenfeest is natuurlijk wel voor echte piraten. Verkleden dus. Knip van zwart vilt ooglapjes, maak er twee gaatjes in en doe er elastiek door, zodat het om het hoofd blijft zitten. Scheur rode stof in vierkante lappen. Vouw ze diagonaal dubbel en je hebt een stoere bandana. Tot slot teken je met oogpotlood stoppels, snorren en littekens op de gezichten. Dat laatste kun je de kinderen ook bij elkaar laten doen. Eventueel nog een neptattoo en klaar zijn je piraatjes! Als je ze zelf wilt laten knutselen kun je eerst de bandana's om de hoofden binden en de stoppels tekenen. Vervolgens kunnen ze zelf met scharen en zwart karton in de weer voor de ooglapjes.

Doen Zoektocht naar de schat

Maak van tevoren detailfoto's van items in het hele huis (bijvoorbeeld de wekker, wc-rol, speelgoedkist). Hang op die fotoplek verschillende kleuren lintjes, evenveel als er kinderkoppels zijn. Verdeel vervolgens de kinderen in tweetallen, vertel ze welke kleur ze hebben en geef iedereen de eerste foto (allemaal een andere natuurlijk). In totaal heb je dus bij acht kinderen vier setjes foto's met vier verschillende kleuren). De kinderen moeten 'hun' item gaan zoeken en als ze die hebben gevonden, mogen ze een lintje in hun kleur pakken. Ze moeten dat lintje bij jou brengen en dan pas krijgen ze de volgende foto. Als alle kinderen alle lintjes verzameld hebben, krijgen ze gezamenlijk een aanwijzing waar de schatkist vol lekkers verstopt is.

Doen De enige echte!

Dat kunnen de kinderen bewijzen door de opdrachtjes goed uit te voeren. Leg eerst uit wat de woorden betekenen. Natuurlijk moet je het voordoen en dat levert al grote pret. Daarna roep je de commando's en moeten de kinderen de opdrachten doen. Degene die het minst snel is, is af. De laatste die over is, is de enige echte piraat.

> Bakboord = links in de kamer
> Stuurboord = rechts in de kamer
> Vlag hijsen = de kids doen net alsof
> Man over boord = de kinderen gaan
> op de grond liggen spartelen
> Help, piraten = de kinderen kruipen in
> elkaar met hun handen op hun hoofd
> Land in zicht = de kids turen met hun
> hand boven hun ogen

Bedankje
Grabbelschatkist

Dit heb je nodig: kist, lap bruine stof, schaar, ruw touw, wat lekkers. Geheel in stijl geef je de kinderen een bedankje bij vertrek. Knip of scheur daarvoor een bruine lap in kleinere stukjes. Doe daar de traktatie in en knoop de buideltjes dicht met grof touw. Doe die vervolgens in een kist met papiersnippers en laat de kinderen grabbelen voor het naar huis gaan.

Slim!
Vraag aan een vriendin,
je te helpen met het
partijtje, dat scheelt!

Doen
Geheime boodschap

Om de kinderen even tot rust te laten komen een rustig spelletje. Zet ze in een kring en verzin een woord. Fluister dat in iemands oor die het weer door moet fluisteren aan zijn of haar buurman of -vrouw.
Regel: als iemand het niet verstaan heeft, mag het woord niet herhaald worden. De laatste in de kring moet het woord hardop zeggen. Dat wordt lachen!

Hot mama

Helemaal leuk, zo'n piratenfeest, maar helemaal geen tijd. Dan kun je een verkleedkist huren. Nog heel veel leuker en makkelijker is op www.abra-ca-dabra.nl een heel feest voor thuis huren. Niets kneuterigs aan. Zij doen bijna alles en jij krijgt de glunderende gezichtjes en de credits!

Prinsessenspul
en kikkerprinsen

Uitnodiging Kleurplaat

Moeders die regelmatig op internet surfen weten meestal wel raad met de computer. Dat komt voor deze uitnodiging mooi uit. Zoek een leuke kleurplaat op die mooi binnen het prinsessenthema valt (bijvoorbeeld van Prinses Lillifee op www.lillifee.com). Plak hem in een worddocumentje en type de uitnodigingtekst erbij. Print hem tig keer uit en je hebt een leuke uitnodiging die zeker aanslaat. Nog leuker om er vervolgens een kleurwedstrijd van te maken. Laat de kinderen daarvoor de ingekleurde kleurplaat meenemen naar de verjaardag, de jarige mag kiezen welke kleurplaat het mooiste is. De prijs? Een dikke kus!

Cadeaus uitpakken
Wie past de kroon?

Laat alle meisjes in een kring zitten en zet prinsessenmuziek aan, K3 bijvoorbeeld. Zet het feestvarken een kroontje op dat ze door moet geven aan het kindje naast haar. Die geeft het ook weer door en als de muziek stopt mag de prinses die het kroontje op dat moment vast heeft haar cadeautje aan de jarige geven.

Taart Op de erwt

Een prachtige taart, met een knipoog naar een van de vele prinsessensprookjes, mag natuurlijk niet ontbreken. De taart op de foto is duidelijk geïnspireerd op het sprookje van de prinses op de erwt én de kikkerprins. Resultaat? De kikker op de erwt! De Taart van mijn Tante uit Amsterdam tekende voor dit ontwerp.

Traktatie
Toverstafjes

Oké, het is een prinsessenfeest, maar toverstafjes zijn niet alleen voorbehouden aan feetjes, toch? …

Smelt de chocolade voorzichtig in de magnetron (door steeds een paar seconden te verwarmen, roeren, verwarmen enzovoort tot alles gesmolten is) of au bain-marie (schaal in een pan met kokend water, roeren, roeren, roeren).

Dit heb je nodig
- soepstengels
- witte chocolade(pa
- prinsessenfar van Dr. Oetk

Doop de soepstengel aan de boven- en onderkant in de gesmolten chocolade en wentel hem daarna royaal door de versiering. Hocus pocus, pilatus, pas.

Versiertruc
Kikkerprins in de hoofdrol

Een prinsessenthema is natuurlijk hartstikke leuk… en zoet en roze. Om het wat meer pit en groen te geven, kies je als 'bijthema' voor de kikkerprins. We weten allemaal dat je nu eenmaal meerdere kikkers gekust moet hebben voor je de echte kikkerprins vindt en dan kun je maar beter vroeg beginnen.

Doen
Kus de kikker

Een heel toepasselijk spelletje:
zoek in een van de vele sprookjes-
boeken een mooie kikkerprins uit.
Laat hem bij een copyshop tot A3
formaat (of groter) vergroten en
plastificeren. Op het feestje krijgen
alle prinsessen rode lippenstift op
en moeten geblinddoekt een kus op
de mond van de kikker proberen te
geven. Eerst een rondje om de eigen
as laten draaien en zoenen maar!
Schrijf met oogpotlood de namen
bij de kussen, zodat je weet welke
kus van wie was. Omdat de kikker
geplastificeerd is, kun je de zoenen
er zo afvegen en het spel opnieuw
spelen.

Slim!
Nodig niet meer kinderen uit dan
de leeftijd van de jarige plus één

Doen
Polderprinsessen

Op een goed prinsessenfeest moet iedereen er natuurlijk wel uitzien als prinses.
Hoe kun je anders serieus genomen worden. (Jongens mogen best als ridder
natuurlijk.) Vraag de gastjes daarom op de uitnodiging om verkleed te komen.
Je eigen kind kleed je in een van de fantastische outfits van www.desprookjes
kamer.nl. Zó leuk!
Een ander, verrassend alternatief is om een verkleedkist te huren zodat iedereen
zich helemaal mooi kan opdoffen voor het feest eenmaal echt begint.
Verkleedkisten zijn bijna overal wel te huur. Als je even goed googelt vind je
vast iets in de buurt. Geen bezwaar tegen een 'verkleeddoos' in plaats van kist?
Op www.knalfuif.nl kun je er een bestellen die thuis (of heel handig: op je werk)
bezorgd wordt. Het is slim alle kinderen een plastic tas met hun naam erop te
geven voor hun eigen kleren. Dat voorkomt veel gezoek achteraf.

Doen Het grote sprookjesspel

Leg drie gekleurde vellen papier in de kamer en verdeel de kinderen in tweetallen. Verzin vervolgens een heleboel sprookjesvragen over de bekende
verhalen. Geef daarbij drie keuzemogelijkheden. Bijvoorbeeld: wat at
Sneeuwwitje? Roze een appel, paars een peer of groen een citroen?
De kinderen mogen samen overleggen en vervolgens op de kleur gaan staan
die bij het goede antwoord hoort. De groepjes die het fout hebben vallen af en
zo blijven er uiteindelijk maar een paar kinderen over. Die hebben gewonnen!

Controlfreak? Jammer!
Veel kleuterpartijtjes lopen anders dan bedacht

Doen
Kroontje ontwerpen

Teken voor iedere prinses een kroon op een lange strook papier of karton (zodat hij om het hoofd past) die ze vervolgens zelf uitknippen. Als je dat eng vindt, doe je het van tevoren zelf. Vervolgens mogen de dametjes hun kroon versieren met stiften, glitters, steentjes enzovoort. Niet of plak de kroontjes als ze klaar zijn op maat aan elkaar en iedereen heeft een eigen stylish kroon.

Bedankje
Het cadeautjesspel

Voorbereiding: koop kleine prinsessensnuisterijen (voor ieder kind één) en maak daar een bundel van. Pak goed in met pakpapier. Daaromheen doe je nog een laag pakpapier met een snoepje ertussen. Daaromheen weer en daaromheen weer. Eigenlijk net zoveel lagen pakpapier met een snoepje ertussen als er kinderen zijn.

Het spel: laat de kinderen in een cirkel zitten en geef het grote cadeau aan het eerste kind. Deze mag één laag papier weghalen en het doorgeven aan een ander. Zo mag iedereen een laag papier weghalen en een snoepje eten. Degene die de laatste laag eraf haalt, mag de cadeautjes uitdelen. Spannend natuurlijk wie dat is en wat erin zit!

Hot mama

Lekker fröbelen voor een traktatie, maar geen zin? Heldin met schaar en lijm is www.sientjesmikkel.nl Zij maakt op bestelling papieren traktaties zoals die bedoeld zijn. Inclusief een verpletterende presentatie! Hier koning en koningin met hun prinsen en prinsessen.

Wild wild west
voor cowboys & cowgirls

Uitnodiging Wanted!

De enige passende uitnodiging voor een stoer westernfeest is natuurlijk een wanted-poster, compleet met beloning. Neem een bozige foto van je kind en gebruik die als slechterik op de poster. Zoek op het internet naar een leuke poster (toets bij www.google.nl de woorden 'wanted-poster' in en check de afbeeldingen). Download die op je computer en plak er de foto van je eigen kind op. Zet er de gegevens van het partijtje op en wat stoere kreten zoals dead or alive en loof een beloning uit. Een beetje grillig uitknippen en je hebt je uitnodiging.

Cadeaus uitpakken
Hokey pokey

Om cadeautjes uit te pakken doe je de stoelendans op 'jippie ja jeeh' westernmuziek! Zet een stoel minder dan het aantal deelnemers klaar, met de rugleuningen tegen elkaar. Zet de muziek aan en zolang de muziek speelt, danst iedereen langs de stoelen. Zodra de muziek stopt moet ieder kind op een stoel gaan zitten. Heeft hij of zij geen stoel, dan mag die cowboy de jarige een cadeau geven. Dat is de boete om in het spel te blijven. Is het kind weer een keer af en heeft hij of zij geen cadeau meer om de straf mee af te kopen, dan is hij of zij echt helemaal af.

Taart Modderig weiland

Een weiland met vee als taart! Neem een pak browniemix van Dr. Oetker en maak de brownies klaar volgens het recept. In het pak zit ook een bakvorm, dus ook als je geen bakspullen in huis hebt, maak je deze taart zo. Om hem te versieren pak je hem in in bruin bakpapier en maak je van afgeknipte satéprikkers en touw een hek. Koop bij de speelgoedwinkel plastic dieren en zet die op de brownies.

Traktatie
Voor hongerige cowboys & girls

Droplasso's van in elkaar gevlochten dropveters zijn leuk als zoete traktatie. Ook popcorn past prima in het westernplaatje. Nog beter doe je het als je ze meteen hun avondmaaltijd voorschotelt: hamburgers, chicken wings, spareribs, spicy wedges (pittige frites), maïskolven, gepofte aardappels en liters cola uit whiskyglazen.

Versiertruc
Party Saloon

Om een typische wildwest-sfeer te krijgen, koop je balen stro bij de dieren-winkel en lege houten kratjes bij de kringloopwinkel. Ook sloophouten bankjes (leg een plank op twee balen stro), grote lasso's en geruite plaids mogen niet ontbreken. Ook leuk: gebruik de poster van de uitnodiging en de laatste klas-senfoto. Scan, knip en plak daar op de computer alle hoofden van de gastjes uit en maak allemaal wanted-posters. Geen versiering, maar wel ter verhoging van de feestvreugde: verzin samen met de kinderen stoere cowboynamen zoals cowboy Howdie, cowgirl Billie, cowboy Bob en Lucky Luke.

Versiertruc
Stoere chicks

Ook meiden vinden het vaak heel stoer om 'cowboy' te zijn en zo niet... zijn ze een indiaan! Zo kun je elk feestje voor jongens en meiden maken: prinsessen en ridders, cowboys en indiaantjes, Spaanse danseressen en Mexicaantjes, deftige dames en jongeheren en ga zo maar door.

Slim!
Houd de ehbo-doos altijd
binnen handbereik

Doen Rossen maar

Met goed lange spijkers, een flinke hamer en een houtblok kunnen de jongens zich helemaal uitleven. Liever daarop dan op elkaar nietwaar? Het is heel simpel: neem een boomstronk. Zorg ervoor dat hij heel stabiel staat (je hebt natuurlijk wel de verantwoordelijkheid over al die kinderen) en sla alvast een beginnetje van de spijker in het hout. Je kunt nu een paar spelletjes spelen. Eén is om de beurt slaan en degene die de spijker erin slaat heeft gewonnen. De tweede mogelijkheid is alle jongens tegen elkaar op te laten slaan. Degene die hem er in de minste klappen in heeft geramd, heeft gewonnen. De laatste manier is om twee jongens een klap te laten geven. Degene die het minst diep heeft geslagen is af. De ander mag blijven staan tegen een nieuwe 'tegenstander'. Zo blijft er uiteindelijk een winnaar over.

Doen
Spijkerpoepen

Knoop de spijker aan de ene kant van het touw en de veiligheidsspeld aan de andere kant. Maak de veiligheidsspeld vast aan de
achterkant van de broek. Zorg ervoor dat de spijker ongeveer
twintig centimeter boven de grond hangt. Het kind moet door de
benen kijken om de spijker te zien hangen. En dan is het de bedoeling dat het kind de spijker in het potje of flesje 'poept' zonder
zijn handen te gebruiken. Je kunt er een wedstrijd van maken door
de kinderen één voor één te laten poepen en de tijd op te nemen.
Degene bij wie het het eerst lukt, heeft gewonnen. Gebruik trou-
wens voor jonge kinderen liever een glazen pot en voor oudere
kinderen (wat moeilijker) een flesje met een kleine opening.

Dit heb je nodig:
- touw
- veiligheidsspeld
- grote spijker
- (bier)fles

Slim!
*Stuur uitnodigingen
altijd per post zodat
ongenode klasgenootjes
niet teleurgesteld zijn*

Doen
Herrie op de prairie

Cowboys en cowgirls zijn heel
behendig in schieten en gooien.
Flink oefenen dus! Bijvoorbeeld
met blik gooien en katapult
schieten. Ook leuk: met een
waterpistool een kaarsvlammetje
uitschieten of een pingpongbal
van een bierflesje schieten.

Bedankje
Iedereen sheriff

Omdat de meeste activiteiten
op een wildwildwest feestje
waarschijnlijk behendigheids
spelletjes zijn, kun je een diploma
maken voor de cowboys en girls.
Met een lijstje met de scores
voor de verschillende onderdelen
bijvoorbeeld. Een superleuke
verrassing bij vertrek natuurlijk,
zeker als ze er ook nog een echte
sheriffster bij krijgen.

>> Taart modderig weiland

Hot mama

Niet iedereen heeft zin en tijd om allerlei
versiering aan te slepen speciaal voor
een feestje. Zeker niet als het maar één
keer gebruikt wordt en daarna weg kan.
Kleurige slingers van stof met een
stoer printje zijn wel altijd leuk én
gaan lang mee. Deze met tekst zijn
van hot mama's Nathalie en Vanessa
(www.hetleveniseenfeestje.nl) en
de kleintjes van Sabien
(www.engelpunt.nl).

Tea-party
voor deftige dames

Uitnodiging Heel chic
Roosjes, polkadots, ruitjes en strikken passen allemaal superleuk bij een heuse deftige dames-teaparty en lenen zich dus prima voor de uitnodiging. Maak een gekke foto van je kind met tuttige hoed, een uurtje achter je computer en klaar ben je. Besteed extra veel zorg aan de tekst om hem echt chic te maken. Bijvoorbeeld: 'Jonkvrouwe Marlou Maroma van Delden van Wiebele Wabbele Wobbelesteijn heeft het genoegen gravin Nikki Louise Cathy Rietveld van Hier tot Tokio te inviteren voor een flamboyante high tea. En o, vergeet vooral uw kookschortje niet.'

Cadeaus uitpakken
Verstoppertje
Zodra het cadeaumoment is aangebroken stuur je de jarige met een vriendinnetje even naar de gang. Een van de andere kindjes mag nu een cadeautje verstoppen. De jarige plus vriendin mogen weer terugkomen en het verstopte cadeau zoeken met aanwijzingen van de rest ('warm' is dichtbij, 'lauw' is de goede kant op en 'koud' is totaal niet in de buurt). Zodra het cadeautje gevonden en uitgepakt is, mag de gever met de jarige even de gang op.

Taart Nog meer?
Met een high tea is er zoveel lekkers dat een bijzondere taart niet heel veel extra doet. Misschien zijn kleine cakejes in dit geval wel handiger. Neem cupcakes, spuit er slagroom op en versier met een knalrode aardbei.

Traktatie
High Tea

Bij een high tea horen sandwiches, muffins, chocolaatjes, koekjes, scones, quiche en wat je verder al niet kunt bedenken. Een beetje afhankelijk van de vaardigheden van de kinderen laat je ze helpen alles klaar te maken. Verdeel ze in tweetallen en geef ze een taak en een schort. Handig om de keukenbezigheden af te wisselen met wat andere activiteiten. Dek tot slot samen de tafel en laat iedereen showen wat hij of zij gemaakt heeft. Smullen maar!

Worstenbroodjes

Volg de aanwijzing op de verpakking en rol de worstjes in de croissantjes.

Dit heb je nodig:
- minicocktailworstjes
- Danerolle partycroissantdeeg

Soezen op een stokje

Prik de soesjes met een aardbei er bovenop aan een vrolijke paraplu of vlaggetje. In een komkommer prikken zodat ze goed blijven staan. Nog wat poedersuiker strooien en klaar.

Dit heb je nodig:
- slagroomsoesjes
- aardbeien
- komkommer

Hartendiefjes

Verwarm de oven voor op 175 graden en bekleed een bakblik met bakpapier. Bedenk van tevoren wat een handig klusje voor de kids is. Beslag maken, deeg uitrollen of alleen de vormpjes uitsteken. Allemaal dingen die prima staand bij het aanrecht en zittend aan een grote tafel kunnen. Doe het meel in een kom en meng er in blokjes gesneden zachte boter door. Meng het tot een kruimelig geheel. Klop een ei los, voeg dat samen met de suiker toe en kneed alles tot een samenhangend deeg. Bestrooi je aanrecht of andere werkplek met bloem zodat het uitrollen van het deeg makkelijker gaat en het deeg niet blijft plakken. Rol het deeg uit met een roller (of lege fles bestrooid met meel) tot een halve centimeter dikte. Laat de kinderen er vervolgens allemaal figuurtjes uit steken en leg die op het bakpapier. Nog even 12 minuten in de oven en je koekjes zijn gaar. Zodra ze afgekoeld zijn kunnen de meiden de koekjes versieren.

Dit heb je nodig:
- 350 g zelfrijzend bakmeel
- 200 g boter
- 100 g witte basterdsuiker
- 1 ei
- (of gewoon een pak koekjesmix)
- uitsteekvormpjes

Versiertruc Tuttigheid troef

Om de tea-table zo fraai mogelijk aan te kleden gebruik je veel verschillend servies in een en dezelfde kleur(combinatie). Je koopt allemaal andere kopjes en bordjes voor een habbekrats bij de kringloopwinkel en combineert alles onderling. Juist door de hoeveelheid wordt het superleuk. Gebruik omgekeerde kopjes en van groot naar klein oplopende borden om zelf een etagère te stapelen. Grootste dinerbord onder, daar een kommetje of mok op, vervolgens een iets kleiner ontbijtbord, weer een kopje en dan het laatste gebaksbordje.
Lekker gek! En 'vergeet vooral uw kookschortje niet' van Cool Cooking (www.coolcooking.nl) bijvoorbeeld. Mét matching ovenwanten.

Doen Jammie!

Dit heb je nodig:
- fruit
- geleisuiker (supermarkt)
- kleine glazen potjes
- etiketten

Alle meiden mogen meehelpen met jam maken: fruit schoonmaken, suiker toevoegen en doorroeren. Dan zet je ze even aan tafel om een etiket voor hun eigen pot te maken. Ondertussen maak jij de jam. Dat moet op het vuur, dus dat is geen kinderklusje. De jam mag na afloop (in een klein glazen potje met deksel, een lapje stof erover en voorzien van een eigengemaakt etiket) natuurlijk mee naar huis.

Doen
Servies beschilderen

Zorg dat het serviesje (Ikea) vetvrij is zodat de porseleinverf (hobbywinkel) pakt. Zolang de verf niet droog is kun je nog corrigeren. Als de meiden tevreden zijn gaat het hele spul de oven in om af te bakken. Plan deze activiteit een beetje aan het begin zodat de kopjes et cetera de tijd hebben om af te koelen. Je kunt het ook mooi in cellofaan verpakken en later op school geven. Let er dan wel op dat iedereen zijn naam onderop zet.

Hot mama

Er zijn van die moeders die alles kunnen. Brigitte van Vrolijke Boel is zo'n moeder. Grimeren, schilderijtjes maken, serviesjes beschilderen (voorbeeldmodel op de foto!), taarten bakken... Gelukkig biedt ze (bijna) alles online aan, zodat jij daar weer van kunt profiteren, www.vrolijkeboel.nl.

Slim!
Maak een voorbeeld
van het knutselwerk
ter inspiratie en om
te laten zien wat
de bedoeling is

Bedankje Doggy bag

Met zoveel lekkers in huis heb je ongetwijfeld van alles over na afloop van het feest! Zonde om weg te gooien, niet verstandig om zelf op te eten dus hup, meegeven! Doe het in stylish uitdeelzakjes met zelfgemaakt label in de stijl van de uitnodiging (kun je overigens ook zo laten maken bij www.gabbics.nl) en het ziet er niet cheap uit. Zelf zakjes naaien kan natuurlijk ook, geheel in tea-time-stijl. De zakjes op de foto zijn van webwinkel www.hippejip.nl.

Hollands Glorie
lekker ouderwets

Uitnodiging
Neerlands trots

Voor een feestje met het thema Hollands Glorie kun je haast niet om een uitnodiging met een van onze Nederlandse trotsen heen. Maak daarom een delftsblauw tegeltje als uitnodiging. Op een keramische tegel van 15 x 15 centimeter maak je met blauwe porseleinverf (of makkelijker: met een blauwe markeerstift) een foute tekening en schrijf je de uitnodigingstekst. Op papier kan natuurlijk ook, en dan kopiëren. Of ga voor een ansichtkaart met de Hollandse vlag met daaraan van die kleine houten klompjes. Je kent ze wel, met die rood-wit-blauwe lintjes eraan. Of een (nep)tulp met een briefje. Goudse kaas misschien?

Cadeaus uitpakken
Laat maar raden

Vraag de kinderen in een kring te gaan zitten en laat de jarige geblinddoekt in het midden staan. Nu moet hij een arm uitsteken en ronddraaien. Wanneer hij stil gaat staan, wijst hij vanzelf iemand aan. Dat kind mag zijn of haar cadeautje geven zonder iets te zeggen. De jarige, nog altijd geblinddoekt, moet raden wat en van wie het cadeautje is.

Taart Naar oma's recept

Het is best een kunst om een ouderwets lekkere appeltaart te bakken. De juiste appels (zoetzuur) en baktijd zijn essentieel. Maar o, wat is het lekker als het lukt! Niet even lekker, maar wel bijna, de te kleine appeltaartjes van Albert Heijn. Flinke dot zoete slagroom erop. Geen kind die dat niet lust!

- prikkers
- blokjes kaas
- plakjes worst
- zilveruitjes
- partyworstjes
- aluminiumfolie
- halve kool

Traktatie
Zo fout!

Vroeger kwam je heel flitsend voor de dag als je moeder een tv-prikkerbol voor je maakte als traktatie. Nu hoef je daar echt niet meer mee aan te komen. Behalve natuurlijk als het in het thema past, want ons eigen rood-wit-blauw is weer helemaal in. En ja, daar horen prikkers met kaas en een zilveruitje bij. Voor degenen die het verdrongen hebben volgt hier het recept:

In principe is het duidelijk, maar voor de volledigheid: prik de hartige snacks aan een prikker. Bekleed de halve kool met aluminiumfolie. Steek de prikkers erin en je tv-prikkerbol is klaar. Om het net even anders te doen, gebruik je vlaggetjesprikkers en steek je daar de hapjes aan. Leg ze op een houten plank en kleed het aan met leuke servetjes.

Versiertruc Vlag uit

Het is een inkopper, maar wat past er beter bij dit thema dan onze eigen vlag? Werk verder met geruite stofjes, boerenzakdoeken en boerenbont servies bijvoorbeeld. En ja, oranje mag deze keer gewoon. Ook helemaal leuk: vlaggetjes op de wangen van de kinderen alsof er een belangrijke voetbal wedstrijd van het Nederlands elftal is. En natuurlijk met vingerverf de vlag op het raam tekenen (zoals de juf vroeger een verjaardagsvlag op het bord krijtte).

Doen
Beschuit fluiten
Het kan soms zo makkelijk zijn
om de kinderen te vermaken.
Laat ze allemaal tegelijk zo snel
mogelijk een droog beschuitje
eten, degene die het eerst kan
fluiten heeft gewonnen.

Doen
Koekhappen
Doe de kinderen per tweetal een
blinddoek (boerenzakdoek uiteraard)
om en vraag ze hun handen op de
rug te doen. Laat ze voor hangende
plakken ontbijtkoek staan. Als de
tijd ingaat, moet het tweetal zo snel
mogelijk proberen de koek van het
touw te happen. Zonder de handen
erbij te gebruiken natuurlijk!
Degene die de koek als eerste van
het touw heeft, heeft gewonnen en
mag de koek opeten.

Doen Zaklopen
Twee kinderen racen tegen elkaar om wie het eerst over de finish is.
Natuurlijk met de moeilijkheidsfactor van een zak om de benen. Als je er een
competitie van wilt maken, laat je de winnaars uit de eerste ronde tegen elkaar
lopen en zo ga je door tot er één over is. Doe dit niet bij te grote groepen, anders
is een klein deel actief bezig terwijl de anderen zich kunnen gaan vervelen.

Doen Snoephappen

Neem een teil water, gooi daar een zuurtje in en happen maar! Heel simpel, maar erg leuk. Eigenlijk moet het met de handen op de rug. Hoeft niet natuurlijk.

Bedankje Red de koetjesreep

Nostalgie ten top: de cacao-fantasie Koetjesreep. Hoe Hollands wil je het hebben? Heel geslaagd dus als bedankje op een oud-Hollands feest. Nu het nog kan dan, want er gaan geruchten dat de Koetjes-reep de concurrentiestrijd aan het verliezen is nu het aanbod zo groot is. Gelukkig zijn er dan nog altijd de boterbab-belaars, stroophoorntjes en kaneelstokken. Allemaal leuk als bedankje!

Doen Sjoelen

Absoluut onmisbaar: een sjoelbak met houten schijven. Aan het eind van de bak zitten poorten met openingen waar de kin-deren de schijven in moeten zien te krijgen. Als alle stenen zijn geworpen, worden de stenen die niet in een poort zitten weer teruggehaald. Dat doe je door een vinger langs de poorten te halen. Wanneer de steen bij die beweging de poort in schuift telt deze mee, schuift de steen weer naar buiten, telt deze niet mee. De overige stenen mogen in totaal maximaal drie beurten geschoven worden. Na drie beurten worden de punten geteld. Geen sjoelbak, geen punt. Probeer er een te kopen op www.marktplaats.nl, daar worden ze regelmatig aangeboden.

Slim!
Houd extra spelletjes
achter de hand voor
als iets niet in de
smaak valt

Little Ladies Night
verboden voor jongens

Uitnodiging
You've got mail

Mail, sms en msn zijn tegenwoordig heel gebruikelijke communicatiemiddelen voor (bijna) tieners, dus een uitnodiging op die manier kan best. Surf bijvoorbeeld naar de Hallmark-site, zoek een leuke kaart uit, schrijf samen de tekst en mail hem naar alle genodigden. Wel altijd handig om even te checken of de uitnodiging aangekomen is!

Slim!
Afhankelijk van de
leeftijd duurt een feestje
meestal twee tot drie uur

Cadeaus uitpakken
Sweet memories

Laat dubbele foto's afdrukken van alle meiden die komen zodat je een heel persoonlijk memoryspel hebt. Laat de dames aan tafel zitten en leg alle foto's met de goede kanten niet zichtbaar op tafel. Nu mogen ze memory spelen. Zodra er een match is, mag het meisje op de foto haar cadeautje geven.

Taart Chocoladefondue

Taart is leuk, maar een chocoladefondue (of fontein!) is nog veel specialer. Koop voldoende chocolade om te smelten (mag gewoon de goedkoopste zijn), vloeibare slagroom, cake, spekjes, fruit en alles wat je in de chocolade zou willen dopen. Smelt de chocolade en zet op een theelichtje. Dopen maar!

Traktatie
Juweeltjes

Haal de kaarsjes uit de houder-
tjes en stop in de helft van de
houders een spekkussentje.
Knip de andere helft aan de
rand op twee plekken in.
Het ingeknipte deel is het
scharnier van het 'deksel' en
kan met plakband vastgeplakt
worden aan de bodem.
Duw het sieraad in het spekje
en klaar is je juwelendoosje!

Versiertruc Pretty in pink

Glitter and Glamour is het thema dat helemaal past bij meisjes van deze
leeftijd. Combineer daarom bijvoorbeeld girly fuchsiaroze met grafisch
zwart/wit. Koop ballonnen in die kleuren en hang ze in trossen. Vaak
geeft dat een veel grootser effect dan her en der een verdwaalde ballon.
Koop verder zilver cadeaulint dat je tussen de ballonnen door laat krullen.
Ook leuk: maak een filmposter voor je dochter met een mooie foto,
gekke filmtitel, bekende filmsterren en woorden als 'binnenkort in de
bioscoop' en 'starring'. Kijk voor inspiratie (of om het te laten doen) op
www.knetterleuk.nl.

Doen Lijstje versieren

Laat de meisjes naar eigen inzicht een fotolijstje pimpen. Leg verf, stiften, glitters, glimmers, veertjes, lintjes en alles wat ook maar enigszins interessant kan zijn klaar op tafel. Geef ze een blanco houten fotolijst (bijvoorbeeld van Xenos of Ikea) en laat ze lekker hun gang gaan. Schalen lekkers op tafel en jij kunt je uit de voeten maken om die ene foto op te halen.

Doen Fotomodellen

Alle meisjes willen diep in hun hart wel fotomodel worden. Al dat getut met make-up en kleren vinden ze vaak reuze interessant. Hoog tijd om ze kennis te laten maken met make-up. Koop daarvoor bij bijvoorbeeld de Hema of op de markt heel veel make-up en tutspulletjes: oogschaduw, mascara, eyeliner, lipgloss, rouge, nagellak, speldjes, elastiekjes…

Verdeel de meiden vervolgens in drie groepjes. Een groep gaat elkaar opmaken, een andere groep doet elkaars haar en de laatste groep lakt elkaars nagels. Na een tijdje wissel je de groepen om zodat iedereen uiteindelijk helemaal 'opgetut' is. Maak vervolgens foto's van de meiden apart en een superleuke groepsfoto. Mail de laatste reuzerap naar de éénuurservice van een fotolab in de buurt. Zonder dat de dames het weten natuurlijk, het moet een verrassing blijven.

Doen
Romantische film

Een lekkere zwijmelfilm met Leonardo DiCaprio of andere 'held' is natuurlijk onmisbaar. Laat je dochter een dvd uitzoeken, liefst eentje die net uit is zodat niet iedereen hem al gezien heeft. Een klassieker zou natuurlijk ook kunnen, maar jouw idee van romantiek kan wel-eens heel anders zijn dan dat van je dochter. Zoek het meer in de high-schoolmovies bijvoorbeeld. Grote schalen popcorn en milkshakes (of liever verse fruitsmoothies) mogen niet ontbreken.

Little Ladies Night Movies

- *Timboektoe*
- *Hoe overleef ik... mezelf?*
- *ZOOP (in Afrika, India, Zuid-Amerika)*
- *De brief voor de Koning*
- *Alles is liefde*
- *Shrek 1, 2 en 3*
- *Afblijven*
- *Harry Potter deel 1 tot en met 5*
- *The Water Horse*

Doen
Welterusten

Het ultieme meidenfeest is natuurlijk als iedereen mag blijven slapen! Tover daarom de woonkamer om tot één heel groot bed. Alle matrassen naast elkaar, bergen dekbedden en kussens. Helemaal gezellig. Keten hoort erbij en van slapen zal weinig komen, maar wees eerlijk: dat heb jij vroeger toch ook prima overleefd?

Bedankje Goody bag

Bij een echte girl party hoort natuurlijk een hippe goody bag! En het leuke is dat je die zo gemaakt hebt. Je doet er namelijk de zelfversierde fotolijst met groepsfoto in, een lipgloss of een van de andere make-updingetjes die de meiden even daarvoor hebben gebruikt en nog wat extra roze spekbollen of natuurlijk het 'juweeltje' als ze die niet meteen hebben opgegeten. Nu nog een mooie strik eraan en een kaartje (deze is van www.poobies.nl) erbij en klaar ben je!

Hot mama

In plaats van de meisjes zelf te laten experimenteren met make-up kun je ook een hot mama inhuren om de da-mes les te geven. Kijk op www.vanes-sapilloni.nl voor kinderworkshops.

Viva la fiësta!
tropische verrassing

Uitnodiging Geheimzinnig

Om deze uitnodiging te kunnen maken, kun je het beste een flinke stapel oude tijdschriften bewaren. Je moet daar namelijk felgekleurde letters uitknippen waarmee je de woorden 'Kom je?' kunt vormen. Plak de letters vervolgens op de voorkant van een opvallende correspondentiekaart. Op de andere kant schrijf je in 'geheimschrift' (bijvoorbeeld in spiegelschrift of met het omgekeerde alfabet) waar, wanneer en hoe laat de kinderen verwacht worden. De code van het geheimschrift geef je in een aparte envelop (aan de ouders) zodat je wel zeker weet dat de code gekraakt wordt en de boodschap goed overkomt.

Cadeaus uitpakken
Knallen!

Voor het feest begint, stop je briefjes met alle namen van de gasten en een flinke hand confetti in vrolijk gekleurde ballonnen. Hoe meer feestvierders, hoe meer ballonnen. De jarige mag als eerste een ballon kapot prikken. Hier valt dan een regen van confetti uit plus het briefje met de naam van degene die zijn of haar cadeau mag geven. Daarna mag de cadeaugever een ballon kapot prikken tot alle ballonnen op zijn en iedereen zijn of haar cadeau gegeven heeft.

Taart Stapeltortilla's

Neem acht grote tortilla's, een potje mascarpone gemengd met twee zakjes vanillesuiker, vers fruit (handig: kant-en-klaar fruitsalade) en jam. Leg de eerste tortilla op een bord, besmeer hem met mascarpone en leg daar gemengd fruit op. Pak dan een nieuwe tortilla en besmeer die met jam. Leg hem met de jamkant op het fruit. Smeer op de ander kant weer mascarpone en beleg met fruit. Ga zo door tot alle tortilla's op zijn. Decoreer met vers fruit.

Doen Dronkenmansspel

Lekker handig; het enige waar jij voor hoeft te zorgen is een leeg flesje Coronabier, twee vellen papier per persoon en een berg pennen. Geef iedereen twee vellen waar ze allemaal een gekke opdracht op moeten schrijven. Elkaar niet laten lezen! Vervolgens moeten ze in een kring gaan zitten. De jarige mag beginnen en stopt een van zijn opdrachtvellen in de hals van de fles (het moet er wel makkelijk uit kunnen natuurlijk). De fles wordt op z'n kant rondgedraaid in het midden van de kring. Eenmaal uitgedraaid moet degene waar de hals van de fles naartoe wijst de opdracht eruit halen, voorlezen en uitvoeren! Als revanche mag zijn of haar opdracht daarna in de fles.

Traktatie
Lekkere cactus

Leuk en meteen decoratief: komkommercactussen. Neem een vrolijk gekleurd potje met zand of aarde. Duw daar een komkommer in en zorg dat hij stevig blijft staan. Prik hem helemaal vol met cocktailprikkers en spies daar lekkers aan: fruit, kaas, worst, snoepjes, bedenk het maar!

Versiertruc
Vrolijk!

In Mexico zie je bij elke cafetaria van die typische plastic vlaggetjes, helemaal leuk. Te koop bij Kitsch Kitchen (www.kitschkitchen.nl) bijvoorbeeld. Eventueel grote sombrero's ophangen, cactussen neerzetten en flesjes Mexicaans bier vullen met een alcoholvrije drank.

Doen Arme piñata

Echt helemaal Mexicaans is de piñata.
Een vorm van papier-maché gevuld
met snoepjes, confetti en cadeautjes.
Het is de bedoeling dat hij door een
geblinddoekt kind kapot geslagen
wordt. Om en om meppen, bijvoorbeeld drie keer, en dan is de volgende
aan de beurt. Wel eerst twee rondjes
om de eigen as draaien, dus afstand
bewaren!
Een piñata maak je met ballonnen,
kranten, behangplaksel, touw, crêpepapier of verf, cadeautjes, confetti
en snoepgoed. Blaas de ballonnen op
en maak behangplaksel zoals vermeld
op het pakje. Scheur kranten in repen
en bedek de ballon ermee. Lekker
kledderen met veel behangplaksel
en nog wat lagen aanbrengen, totaal
ongeveer drie. Laat de kant waar de
knoop zit vrij voor het vullen. Hang
hem vervolgens op om te drogen.
Na een dag of twee kun je de ballon
eruit halen. Als de binnenkant droog
is, vul je de vorm met de verrassingen.
Maak vervolgens aan beide kanten
een gaatje voor het touw en maak de
vorm verder af. Eventueel weer met
kranten en behangplak. Als ook dat
droog is beschilderen of versieren
met crêpe-papier. Nu nog een stevige
stok (bijvoorbeeld een bezemsteel)
met crêpepapier omwikkelen en klaar
ben je.

Doen
Vreemde verhalen

Even rustig aan tafel: iedereen krijgt een pen en papier. Jijzelf start met het begin van een spannend verhaal (jij dicteert, zij schrijven). Vervolgens schrijven ze daar zelf een zin onder. Daarna moeten ze hun papier omvouwen zodat de tekst niet zichtbaar is. Nu het papier doorschuiven naar de buurman of vrouw en allemaal weer een zin opschrijven. Zo gaat elk vel de hele kring door. Tot slot heeft ieder zijn of haar eigen blad weer terug en kan het voorlezen en vooral het lachen beginnen.

Hot mama

Geen zin in geklieder met behanglijm, kranten en crêpepapier om zelf een piñata te maken? Hot mama Iris Schagen van www.pinata.nl wel! Ze levert de meest waanzinnige piñata's gevuld met snoep of speelgoed. Thuisbezorgd en al.

Bedankje
Fiësta de los Muertos

Het klink luguber: in november vieren de Mexicanen het Fiësta de los Muertos (ofwel het dodenfeest), maar het is verre van dat! De deuren staan die dag wagenwijd open voor de doden. Met een overdaad aan bloemen, lievelingseten, -drinken en -muziek van de overledenen verwelkomen ze de zielen. De doden keren als vrolijke skeletten terug om met de levenden heden, verleden en toekomst te vieren. Kinderen krijgen die dagen felgekleurde schedeltjes van suiker en skeletpoppetjes, een leuk bedankje als afscheid van het Mexicaanse feest!

Versieren
Altijd feest

Elk jaar is het weer zoeken naar de slingers en andere versiering
en elk jaar zit alles weer in de knoop, is het verkreukeld of
ernstig aan vervanging toe. Met deze feestversiering is het anders.
Te leuk om op te bergen, te leuk om slordig mee om te gaan
en te leuk om over het hoofd te zien. Nog zelfgemaakt
(of zelfbesteld) ook!

Uitnodigingen
om te imponeren

De eerste indruk (dus let goed op als je indruk wilt maken op de moedermaffia op het schoolplein) is de uitnodiging voor het feest.

Aan de slag

Drie topsites voor superkaarten: www.liefleukeneigen.nl (twee kaarten links). Hier kun je als ietwat gevorderde design-moeder goed zelf aan de slag. www.gabbies.nl (zakje in het midden) Op deze site kun je heel makkelijk kiezen uit een hele rits 'decors'. Handig: je kunt meteen uitdeelzakjes en posters in dezelfde stijl bestellen. www.poobies.nl (twee kaarten rechts). Deze site biedt twee opties. Of je klikt een kaart aan die je superleuk vindt en bewerkt die naar behoeven of je ontwerpt de kaart helemaal zelf.

Tip!

Kant-en-klare uitnodigingen hebben één ding gemeen: de tekst getuigt niet van veel creativiteit. Dit is je kans!

Doen!

Handig om te vermelden: datum, tijd, of de kids thuis-gebracht worden of niet, adres en telefoonnummer.

Dit heb je nodig:
• internet

En verder...

... schrijf je de cadeauwensen op de uitnodiging!

Hot mama

Verjaardagskaarten en uitnodigingen verdienen een mooi plekje. Op een opvallend prikbord met Happy Dots slingers van hot mama Sabien Engelenburg, www.engelpunt.nl.

Vlaggetjesdag
slingers voor het leven

Deze slingers vouw je met liefde op en tover je bij een volgende gelegenheid weer vrolijk tevoorschijn.

Aan de slag

Knip een reep stof van twintig centimeter hoog. Zet aan de ene kant om de vijftien centimeter een markeerpunt. Aan de tegenoverliggende zijde zet je het eerste markeerpunt na zevenenhalve centimeter en daarna ook om de vijftien centimeter. Trek daartussen diagonale lijnen en knip met de kartelschaar. Leg de vlaggetjes neer in een volgorde die jij leuk vindt. Neem daarna het biaisband, de kopspelden en vlaggetjes en zet het eerste vlaggetje vast na veertig centimeter. De rest van de vlaggetjes plaats je om de tien centimeter. De naaimachine erover en je kunt je woonkamer, tuin of picknick versieren.

Tip!

Ben je behendig op de naaimachine? Maak dan dubbelzijdige vlaggetjes met lintjes ertussen.

Doen!

Laat je kids meewerken met vingerverf en stiften.

En verder...

... werk je met (applicatie)letters: GEFELICITEERD!

Hot mama

Lytri en Lot tekenden voor deze superleuke slingers (www.lenlkids.nl).

What's in a name?

Naamslinger
speciaal voor de jarige

Slingers zijn altijd al leuk, maar zodra je kind ontdekt dat hij of zij een 'privéslinger' heeft, scoor je pas echt!

Aan de slag

Voor deze slingers kruip je achter de computer en schrijf je de naam in een eenvoudig lettertype in grote letters op papier. Maak er extra 'blokjes' aan zodat je daar met de perforator gaatjes in kunt maken voor de splitpennen. Print alles uit en leg het carbonpapier tussen het geprinte vel en het karton (van die grote vellen die je vroeger gebruikte om een surprise te maken). Trek de letters over en knip uit. Gaatjes erin, splitpennen erdoor en je flexibele naamslinger is klaar.

Tip!

Qua tekst kies je liever niet voor 'Stef 7 jaar' bijvoorbeeld. Als Stef acht wordt, vind je het misschien ook nog wel leuk om de slinger te gebruiken.

Doen

Tussen de woorden hoort uiteraard een spatie. Die maak je van streepjes of bijvoorbeeld van hartjes.

Dit heb je nodig:

- grote vellen karton
- perforator
- carbonpapier
- splitpennetjes

En verder...

... kunnen de wat gevorderde knutselaars nestelringen gebruiken in plaats van de splitpennen.

Hot mama

Te veel gedoe? Bestel de slingers dan op internet bij Marina, www.marinaslingers.nl.

Vilten feestmuts
voor het feestvarken

Het ultieme feestaccessoire? Een feestmuts! Dan is het wel zo handig als hij niet makkelijk kapot kan en lekker zit.

Aan de slag
Neem een A4'tje en teken daar een kroon op. Knip de papieren kroon uit en leg hem op twee lapjes vilt die op elkaar liggen. Trek de kroon over en knip in één keer uit. Pak het papieren kroontje en knip minimaal een halve centimeter van de bovenkant af waarbij je de vorm volgt. Leg deze op het laatste lapje vilt en trek over/knip uit. Naai/plak nu de drie delen op elkaar met het vastbindlint tussen de onderste en middelste laag. Lijm vervolgens alle applicaties op de juiste plek.

Tip!
Koop een cijferapplicatie en zet die met een klein steekje vast. Zo kun je hem er het volgende jaar makkelijk afhalen en vervangen door het volgende cijfer.

Doen
Van twee in elkaar gedraaide pijpenragers buig je een cijfer.

En verder…
… zet je de eerste letter van de jarige op de hoed.

Hot mama
Als je niet wilt hoef je niet zelf aan de slag. De muts met cijfercorsage is namelijk van hot mama Birdy Nam Nam (www.birdynamnam.eu) en verkrijgbaar in de winkel.

Dit heb je nodig:
- A4'tje
- 3 lapjes vilt van 30 x 20 cm
- 2 stukken lint van 40 cm
- versiersels
- textiellijm

Hoedje van papier
nieuwe stijl

Iedereen kent het liedje, maar wie kan het nog vouwen: het ouderwetse hoedje van papier? Met deze beschrijving heb je het zo af én gepimpt.

Aan de slag

Leg de krant voor je en vouw hem naar beneden dubbel. Pak de twee punten aan de kant van de vouwlijn en vouw die naar het midden zodat je een punt aan de bovenkant krijgt. Plak hem onderaan aan elkaar vast. Vouw de overgebleven rand naar voren en naar achteren. Pimpen maar!

Tip!

Maak eens een hoedje van ander papier, kleurig inpakpapier bijvoorbeeld!

Doen

Als je heel enthousiast bent kun je ook voor alle andere kindjes een hoedje van papier vouwen, maar dan zonder al te veel extra poespas. Je moet natuurlijk wel kunnen zien wie er jarig is.

Dit heb je nodig:
* krant
* plakband
* pimpspul

En verder...

... zijn minihoedjes van papier superleuk om traktaties mee te maken. Met mandarijnen bijvoorbeeld.

Hot mama

Helaas, helaas geen webadres om er makkelijk vanaf te zijn. Misschien een hot papa thuis?

Kaartenhanger
vliegende berichten

Natuurlijk kun je alle kaarten op tafels, de schouw of het raamkozijn neerzetten, maar je kunt ze ook gebruiken ter decoratie!

Aan de slag

Wikkel lint om de ring en zet het vast met plakband. Neem vervolgens de uiteinden van twee even lange linten (ongeveer tachtig centimeter) en knoop die tegenover elkaar aan de ring zodat de ring in balans hangt. Maak er vervolgens hangende linten aan in verschillende kleuren en variërend van twintig tot vijftig centimeter voor een kleurig, speels effect. Hang de kaarten vast met kopspelden of miniknijpertjes.

Tip!

Niet zoveel kaarten (snert e-mail!)? Hang er dan gadgets tussen.

En verder...

... kun je de kaartenhanger natuurlijk blijven gebruiken. In de kamer van je zoon of dochter of met de kerst.

Hot mama

Geen hulp, helemaal zelf doen...

Dit heb je nodig:

- metalen ring (knutselwinkel)
- verschillende linten in de maten:
  3 x 80 cm, 3 x 50 cm, 3 x 40 cm, 2 x 30 cm en 2 x 20 cm
- losse speeltjes
- plakband
- kopspelden of miniknijpers

Met vlag
en wimpel

Wanneer je eigen prins of prinses jarig is mag de vlag wel uit, maar de wimpel niet. Amalia, Alexia en Ariane: eat your heart out!

Aan de slag

Print (de contouren van) de letters van de naam in Arial black 600 punts. Knip uit en leg achterstevoren op het vilt, omlijn en knip uit. Plak de vilten letters op de stof en knip ze met een halve centimeter 'rand' uit. Lijm of naai de letters op één kant van de bannier en bepaal waar de punt moet komen. Naai de wimpel nu met de goede stofkanten op elkaar vast. Laat bovenaan een opening zodat je de stof kunt keren. Naai een tunnel bovenin waar een stokje door kan of zet er een touw aan vast zodat je de wimpel aan de vlaggenmast kunt bevestigen.

Tip!

Met een flinke kwast onderaan zorg je ervoor dat de wimpel met veel wind niet alle kanten opfladdert.

En verder...

... kun je voor de wimpel voor en achter verschillende kleuren gebruiken.

Hot mama

Misschien een handige moeder, oma of huisvlijtige vriendin die de wimpel als verjaardagscadeau wil maken?

Dit heb je nodig:
* de helft zoveel vilten lapjes als je letters hebt
* (geruite) stof
* bannier van 25 cm breed en het aantal letters × 18 cm plus 20 voor de punt en bovenkant
* textiellijm
* stokje 23 cm
* touw 60 cm

Mijn dank is groot

Ik vind het wel wat hebben dat je mensen bedankt die op welke manier dan ook onmisbaar zijn voor het ontstaan van een boek. Daarom wil ik met een warm hart 'dank je wel' zeggen.

Lieve Danny, bedankt voor je eindeloze vertrouwen in mijn kunnen. Soms denk ik dat je me beter kent dan ik mezelf. En natúúrlijk mijn lieve covermodellenmeisje Marlou; dank voor je altijd lieve en vrolijke inspiratie. Zonder jou zou ik op dit gebied inspiratieloos zijn geweest en was dit boek er waarschijnlijk nooit geweest.

Ook veel dank aan alle mooie en geduldige kids die model hebben gestaan: Maud en Pien onder de paraplu, baby Mats, eenjarig feestgangertje Tess, piraten Mathijs, Wouter en Dion, prinsessen Nikki, Romy, Anouk, Eline, Lune en Isabella, cowboys Jasper en Koen, cowgirl Suus-Anne, deftige dame Emilie, Mexicaanse gringo's Bo, Wopke en Fintan, chica Féline en leeuw Guus.

Natuurlijk mogen de dames van de uitgeverij niet ontbreken, omdat ze het idee meteen zagen zitten. En Mariël voor de prachtige foto's, het meedenken en mieren tot in detail. Esther voor het vormgeven en het verbluffende eindresultaat. Dáár kun je mee aankomen op het schoolplein!
Verder bedankt aan een ieder die bewust, maar meestal onbewust, zijn of haar feestgeheim met me heeft gedeeld.

NB. Ere wie ere toekomt: de prachtige foto's in dit boek zijn grotendeels gemaakt door Mariël Kolmschot van www.mkfotowerken.nl. De foto's op pagina's 8, 22, 64 t/m 69, 76, 78 (kikker) en 124 zijn gemaakt door Ilona Hartensveld van www.familiefotografie.nl.